Richard Petit

LES ÉMO-J

SUPER ÉMO-J À LA RESCOUSSE

ANDARA

Catalogage avant publication de Bibliothèque et Archives nationales du Québec et Bibliothèque et Archives Canada

Petit, Richard, 1958-, auteur, illustrateur

    Super Émo-J à la rescousse
    (Mini Big)
    Pour enfants de 7 ans et plus.

    978-2-89746-130-0

    I. Petit, Richard, 1958- . II. Tremblay, Danielle, 1961- .
    III. Collection : Mon mini big à moi.

PS8581.E842S96 2018   jC843'.54   C2018-941123-6
PS9581.E842S96 2018

Idée originale de la collection : **Richard Petit**
Texte et illustration de la couverture : **Richard Petit**
Illustrations des pages intérieures : **Danielle Tremblay**
Graphisme : **Mika**

Dépôt légal : Bibliothèque et Archives
nationales du Québec, 3e trimestre 2018

978-2-89746-130-0

Imprimé au Canada

Gouvernement du Québec – Programme de crédit d'impôt
pour l'édition de livres – Gestion SODEC
Andara éditeur remercie la SODEC
pour l'aide accordée à son programme éditorial.

Financé par le gouvernement du Canada | **Canadä**

MIXTE
Papier issu de sources responsables
FSC® C103567

info@andara.ca • www.andara.ca

*Le nom des superhéros finit
TOUJOURS par « man »:*

*Batman,
Superman,
Spiderman et...*

MAMAN!

Chapitre 1

Qu'est-ce qui est plus méchant qu'un méchant? TROIS MÉCHANTS!

Seul au beau milieu de la cour de l'école, Zachary joue avec un ballon de basket. Il le fait **rebondir** sur le sol très agilement. Comme à chaque récréation, il se promène de long en large, en donnant

des petits coups
successifs sur
le ballon. **PAF! PAF!**

PAF!

Il tape dessus à
nouveau.

PAF! PAF!

Le pauvre garçon
est seul pour s'amuser.

MAIS OÙ SONT TOUS LES AUTRES AMIS DE SA CLASSE?

Ils sont autour de lui, adossés à la clôture qui les entoure.
Ils s'amusent eux aussi, mais avec leur iPod. Et que font-ils avec leur petit appareil?

Eh bien, ils jouent à
des tonnes de jeux
BUZZANTS.

OUPS ! Voilà
Liam qui se dirige
vers lui avec
ses deux complices,
Justin et Tommy.
Ce sont les mauvais
garçons de l'école.

Ils sont si terribles
que personne n'ose
les affronter.

Les trois garçons
encerclent Zachary.
OH ! OH ! Il est
dans le pétrin.
Apeuré, le jeune
garçon jette un coup
d'œil désespéré en

direction de Gilberte,
la surveillante.
Comme toujours,
elle a le dos tourné et
n'entend absolument
rien. Mais, c'est bien
normal qu'un adulte
de **124 ans** ait
un problème
de surdité!

Ce genre de situation
EXPLOSIVE
se produit
malheureusement
souvent dans la cour
de l'école depuis
le début de l'année
scolaire. Aucun
élève n'a encore osé
remettre à sa place
le **TRIO TERREUR**.

Ça va très mal.

— Alors, la patate !
lui lance Liam,
le chef du fameux
trio, d'un air
arrogant. Toujours
en train de jouer
au ballon, comme
les maternelles ?
Tu n'as toujours pas
de iPod ?

Zachary cesse
de dribler, baisse
la tête et se met à
fixer silencieusement
le ballon dans
ses mains.
Justin s'approche
de lui et le pousse
violemment.

– EH, LA PATATE !
EN PLUS DE NE PAS

AVOIR DE IPOD, TU N'AS PAS DE LANGUE?

— LAISSEZ-MOI! s'écrie Zachary après avoir relevé la tête. **JE NE VOUS AI RIEN FAIT!**

— Non! C'est vrai. À part faire **PITIÉ,**

tu n'as rien fait ! lui
répond Tommy de
manière très impolie.
RIEN !

Autour de Zachary,
les trois garnements
éclatent d'un rire
diabolique.
HA ! HA ! HA !
HA ! HA !

— Tu sais que
tu es LE SEUL élève
de l'école à ne pas
avoir de iPod ?
lui répète Liam.

— Tu me le rappelles
tous les jours ;
comment veux-tu
que je l'oublie ?
riposte Zachary.

— C'est parce que
j'aime te voir triste !
ajoute Liam
avec malice.

La méchanceté
du garçon semble
être sans limites.

— **J'ai un ballon
pour m'amuser !**

dit Zachary en
lui montrant l'objet
en question.

— Et est-ce que
tu peux jouer au jeu
vidéo **Croc Zombies**
avec ton ballon
de basket ? rétorque
Tommy. Peux-tu
aussi écouter

la musique des
Bibites ? Surfer
sur Internet ?
ENVOYER
DES TEXTOS ?

Zachary hoche
la tête pour lui
répondre « non ».
Autour de lui,
les trois garnements

éclatent de rire
encore une fois.
HA! HA! HA!
HA! HA!

— Et lorsque tu veux
écrire à une fille,
la patate, lance Liam
d'un air supérieur,
tu lui écris des mots
doux sur un bout
de papier, comme

les hommes **préhistoriques** le faisaient à l'époque des dinosaures ?

Zachary lève la tête vers Liam.

– IL N'Y AVAIT PAS DE DINOSAURES À L'ÉPOQUE DES HOMMES DES CAVERNES !

précise-t-il.
Il n'y avait que
des **mammouths** et
des **tigres à longues
dents**. Et le papier
n'existait même pas !
Si tu faisais tes devoirs
toi-même au lieu
de forcer Alexis à
les faire à ta place,
tu saurais cela.

Offusqué de se faire
corriger devant
ses deux amis,
Liam contient
sa **RAGE** et décide
plutôt de se venger.

— Bon, écoute,
la patate, commence
le méchant garçon.

Je vais t'aider à te trouver **une petite amie**. Je vais la texter pour toi. Tu vois que j'ai bon cœur.

Zachary plante son regard désapprobateur dans celui de Liam.

– NON !

s'écrie-t-il.

— Je crois que je vais envoyer un texto à... **LA JOLIE ZOÉ !** ajoute Liam.

Le méchant garnement sait **TROP** bien que

Zachary aime Zoé et qu'il la trouve très jolie. Il ne lui a cependant **JAMAIS** fait part de ses sentiments pour elle.

TROP GÊNÉ !

Zachary laisse tomber son ballon sur le sol...

POUF ! POUF ! POUF !

... et se jette sur Liam pour lui arracher son iPod des mains. Rapides, Justin et Tommy l'attrapent par le bras, juste avant qu'il ne puisse passer à l'action.

– LÂCHEZ-MOI!

– TUT ! TUT ! TUT ! enchaîne Liam, son iPod en main. J'ai un texto d'amour à écrire à la **BELLE** Zoé. Je sais ! Je vais terminer en lui envoyant plein de

becs et de cœurs.
Maintenant, laisse-
moi me concentrer...
Qu'est-ce que
je pourrais bien
lui écrire...

Une larme de rage
coule sur la joue
du pauvre Zachary.

Chapitre 2

FAUX texto d'un VRAI amoureux...

Après avoir écrit le texto, Liam appuie sur la touche **« ENVOYER »**...

ZIOUUUUUU !

— Voilà ! s'exclame-t-il, réjoui. Dans une minute, soit Zoé sera officiellement ta blonde, soit

elle t'enverra
un camion d'insultes !

— Je pense que
ce sera un camion
d'insultes, moi,
s'exclame Justin
pour se moquer.

Les trois garçons
s'esclaffent à
nouveau.

HA! HA! HA! HA! HA!

Toujours retenu par Justin et Tommy, Zachary tente de se défaire de leur emprise. **RIEN À FAIRE!** Les deux garçons sont plus forts que lui.

À l'autre bout de
la cour de l'école,
le iPod de Zoé sonne.
Elle vient de recevoir
un texto. Toutes
ses amies se
regroupent autour
d'elle, curieuses de
savoir **QUI** est
l'expéditeur.

— Mais qui peut bien t'écrire, Zoé ? lui demande son amie Emma. Nous sommes toutes ici avec toi.

Zoé soulève ses épaules pour répondre qu'elle ne le sait pas, puis appuie sur une touche.

— Moi, je pense que c'est un garçon qui veut te faire une demande en mariage, dit Léa pour se moquer en lançant un clin d'œil à son amie.

— **PFOUUU !** Arrête ! lance Zoé.

Je suis trop jeune pour me marier, voyons !

Zoé aperçoit l'avatar de Liam. Son visage devient long, signe qu'elle est très déçue.

— AH NON !

s'exclame-t-elle.

C'est le chef des
méchants de l'école.
**LIAM LE PAS
GENTIL !**

– HEIN !

– **PAS VRAI!**

– ZUT !

Toutes les têtes
se penchent
au-dessus du iPod
pour lire le texto.

— Ce texto provient
bien de Liam,
remarque Emma,
mais il l'a écrit pour
Zachary, qui semble
lui avoir dicté quoi

écrire. C'est vrai qu'il n'a pas de iPod pour le faire directement.

– **BAH !** Ça m'étonne de Liam, ça.
Ce n'est vraiment pas son genre d'aider les autres de cette façon, rétorque Zoé.

Puis, elle commence la lecture du texto, entourée de ses amies.

LIAM

C'est moi, le BEAU Liam, qui écris pour le TRÈS LAID

Zachary. La patate a quelque chose à te demander à toi... LA CAROTTE !

Eh oui ! Zoé est une jolie rouquine.

ZOÉ

Mais pourquoi traites-tu Zachary de patate ? C'est un GROS manque de respect !
Et puis, si moi, je suis une carotte, toi, tu es un CONCOMBRE.

Après avoir reçu le texto de Zoé, Liam et ses deux acolytes rigolent encore.

LIAM

J'appelle la patate « PATATE », car il a une belle

personnalité de patate, voilà.

ZOÉ

Tu manques TOTALEMENT d'éducation, le sais-tu ?

LIAM

Ton insulte me dérangerait probablement si je savais ce que le mot ÉDUQUESTION veut dire. Mais là, ça ne me touche pas du tout.

ZOÉ

ÉDUCATION!
Espèce de
concombre.
Tu le saurais si
tu ne forçais pas
Alexis à faire tes
devoirs à ta place.
Qu'est-ce que tu
veux dire, à la fin ?

ZIOUUUUUU !

...

LIAM

Ça va vraiment te jeter par terre, mais la patate t'aime plus que

son ballon
de basket chéri.
Il voudrait se
marier avec toi
et que vous viviez
heureux dans
un jardin avec
les autres amis-
légumes de l'école.

Autour de Zoé,
les visages de
ses amies deviennent
tout écarlates.

**— JE CROIS QUE
JE VAIS VERSER
MON PUDDING AU
CHOCOLAT SUR
LA TÊTE DE CE
PETIT EFFRONTÉ!**
pense Léa tout haut,
enragée. **IL FAUDRAIT**

QUE QUELQU'UN DONNE UNE LEÇON DE SAVOIR-VIVRE À CE PETIT MALPOLI!

MAIS QUI ???

— Du calme, Léa, dit son amie Zoé pour la calmer. La violence

ne fait qu'engendrer la violence.

— Envoie-lui l'ÉMO-J **PIPIrate**, alors ! lui ordonne son amie. C'est le plus TERRIBLE des émo-j. Et envoie aux deux autres idiots les émo-j

Vampapire et Pupu.
Ils vont comprendre
le message.

Mais avant que Zoé
ne puisse répondre
au texto offensant
de Liam...

ZIOUUUUUU!

Elle reçoit un autre
texto du garçon.

LIAM

Mais qu'est-ce que tu attends pour me répondre? Il est trop long à taper, ton prénom de trois petites lettres? Z, O, É! Tu as besoin d'aide?

Les narines de Zoé
s'ouvrent comme
celles d'un taureau
enragé qui s'apprête
à foncer sur
un matador.
Frénétique,
elle envoie les trois
émo-j à Liam.
ZIOUUUUUU !

Mort de rire,
Liam montre l'écran
de son iPod à ses deux
amis, Justin et Tommy.
Ils se mettent à rire
SI FORT
que tout le monde
se tourne vers
eux, sauf Gilberte,
la surveillante, qui,
encore une fois,
n'a rien entendu.

HA! HA! HA! HA! HA!

– J'AI TELLEMENT PEUUUUR! VOUS AVEZ VU CES RIDICULES ÉMO-J, LES GARS! Pupu, Pipirate et Vampapire! fait ensuite le garçon pour se moquer.

OUUHHHHH !

Que j'ai peur. Allez, les gars, vous pouvez **LÂCHER LA PATATE !**

Justin et Tommy libèrent le pauvre Zachary, qui se laisse choir sur l'asphalte.

— Allons voir Alexis, les amis, poursuit Liam. J'ai un mot à dire à mon esclave favori. Le prof ne m'a donné qu'une note de 8 SUR 10 pour MON dernier devoir qu'il a fait pour MOI. C'EST INACCEPTABLE !

Et les trois méchants garçons se dirigent vers leur prochaine victime.

Assis sur le sol, Zachary lève la tête vers les nuages.

« Il faut à tout prix que je me procure un iPod, pense le

garçon, rempli de tristesse. Sinon, Liam continuera à s'amuser à mes dépens en envoyant des textos idiots à tout le monde. »

C'est alors qu'il se rappelle la publicité qu'il a vue à la télé

avant de partir pour l'école. **OUI !** C'est aujourd'hui que sera mis en vente, dans **TOUS** les **Dolloragaga**, le tout dernier modèle de iPod...

LE iPOD X-17 !

Dans sa tête germe
une idée...

**« C'EST DÉCIDÉ !
Je vais m'acheter
un iPod. Et je
sais OÙ prendre
l'argent pour
le payer... »**

Chapitre 3

Un bouton qui donne... DES BOUTONS???

Après avoir casSé son petit cochon rose et pris **TOUT** l'argent qu'il y avait dedans, Zachary enfourche sa bicyclette et file tout droit vers le grand magasin **Dolloragaga**, les poches pleines de monnaie. À son arrivée, il est tout étonné de voir que des CENTAINES de personnes attendent en ligne, entassées les unes derrière les autres, devant les portes d'entrée. La présence d'autant de monde

ne peut signifier
qu'une chose...

HÉ OUI !

— ZUT ! Ils veulent
TOUS un iPod !
se dit le garçon.
J'EN SUIS
CERTAIN ! Tous
ces gens ne sont pas

ici pour acheter
une ridicule tondeuse
à gazon rose qui
peut aussi couper
les cheveux...
C'EST CLAIR!
Il ne restera plus de
iPod pour moi, c'est
sûr, car... **JE SUIS
LE DERNIER
ARRIVÉ!**

ZUT DE ZUT !

Alors que Zachary
réfléchit à
une solution,
le gérant du magasin
arrive, accompagné
de deux gardiens de
sécurité, pour donner
des instructions aux
acheteurs fébriles.

— Mesdames
et messieurs,
fervents utilisateurs
de **gadgets
électroniques**
inutiles, commence-
t-il d'une voix
remplie d'assurance,
dans deux minutes,
je vous laisserez
entrer pour que

vous puissiez
enfin acheter
LE iPOD X-17 !
Dans la longue file
d'attente, des cris de
joie se font entendre.

– **YAHOUUUUU !**

— Yiiiiiipiiiiiiiii !

– **YEAAAAH !**

– YESSSSSSS !

– AYOYE! Tu m'as pilé sur un pied.

– OH ! EUH ! Désolé.

– CEPENDANT, je dois vous prévenir qu'il n'y aura pas assez de iPod pour tout le monde,

poursuit le gérant.
Les cris de
joie cessent
INSTANTANÉMENT
et sont remplacés
par des huées
de clients déçus.

— CHOUUUU !

— PAS Yiiiiipiiii !

–AH NOOOON!

–AYOYE! Tu m'as ENCORE pilé sur un pied.

–OH! EUH! Encore désolé.

Au bout de la longue file, Zachary arbore une mine complètement déconfite.

– OH NON !

Je le savais. Il ne restera plus de iPod pour moi.

Zachary n'a cependant pas l'intention de baisser les bras. Il n'est pas question qu'il retourne à l'école demain... **SANS SON iPOD À LUI!**

Il décide alors d'employer une ruse.

Comme un tigre qui s'approcherait de sa proie, il se dirige discrètement vers... **LES PORTES**

D'ENTRÉE
DU MAGASIN !

En sifflant.

OUIIIIIIITTTTE !

Alors qu'il arrive
devant l'entrée,
un des deux gardiens
de sécurité fait
un grand écart,

se place devant lui et
pose sa main sur
son torse pour
le stopper.

–UNE PETITE MINUTE, MON GARÇON!

lance brutalement
le gardien. Je t'ai
vu à la fin de la file

d'attente, tantôt.
Tu es ici pour
acheter le nouveau
iPod, n'est-ce pas ?
Tu dois retourner
à ta place.

Pétrifié de s'être fait
prendre, Zachary
cherche ses mots.

—NOOOON, M'SIEUR !
répond-il au grand
homme en uniforme.
Je suis ici pour acheter
la **FAMEUSE**
tondeuse à gazon
rose qui peut aussi
couper les cheveux
et faire mousser
l'eau du bain.
C'est pour mon père

qui est chauve.

Ce sera son anniversaire bientôt et je veux lui donner ce cadeau à la fête des Mères pour Noël.

N'ayant ABSOLUMENT rien compris et ne voulant pas passer

pour un idiot devant le garçon, le gardien s'écarte pour laisser entrer Zachary.

— **ALLEZ!** Entre, mon garçon. C'est très gentil de ta part de penser à tes parents comme ça.

La tête baissée,
Zachary franchit
les portes battantes
et entre dans
le magasin.

À l'intérieur,
des dizaines de
GRANDS
panneaux annoncent
l'arrivée tant

attendue du nouveau **iPOD X-17 DANS LA SECTION «ÉLECTRONIQUE» DU MAGASIN!**

GO!

Zachary s'y dirige en courant, car il doit faire très vite.

Les autres
acheteurs entreront
bientôt. Petit comme
il est, il se retrouvera
rapidement
submergé par
la foule d'adultes
en délire.

EH OUI ! Dehors,
à l'entrée, le gérant

du magasin **Dolloragaga** est sur le point de laisser entrer les acheteurs. Avant, il communique une dernière mise en garde de Banana Corporation, le fabricant du iPOD X-17.

– CHERS CLIENTS !

J'ai un dernier
message à vous
transmettre avant
de vous laisser entrer.
C'est une mise en
garde pour ceux
et celles qui auront
la chance de se
procurer l'appareil.

Avant d'utiliser votre nouveau iPod, vous **DEVREZ ABSOLUMENT** télécharger sur le site Internet de Banana Corporation l'anti-bogue du iPod, car le bouton jaune, sur le côté de l'appareil, est défectueux.

Si vous ne le faites pas, vous risquez de vous retrouver avec tout plein de... **GROS BOUTONS SUR LE VISAGE !**

Parce qu'il est entré avant tout le monde,

Zachary n'a pas entendu cette mise en garde... **MÉGA IMPORTANTE!**

OH! OH! Que va-t-il se produire, alors ? Est-ce que Zachary deviendra... **UN PETIT BOUTONNEUX ?**

La suite dans
le prochain roman
des émo-j...

BEN NON!

La suite au prochain
chapitre... 😉

HA! HA! HA!

Chapitre 4

Est-ce que je peux vous servir, à votre service et que désirez-vous, vous voulez QUOI ?

Au comptoir des appareils

électroniques,
Zachary, éclairé par
les dizaines d'écrans
de télévision,
se dirige vers
le premier commis
qu'il aperçoit.
Ce dernier accueille
le jeune garçon

avec politesse.

Mais Zachary est

pressé, car il sait

que les autres

acheteurs sont sur

le point d'arriver.

Il les a entendus

entrer comme

une armée de soldats

AUX PAS

LOURDS.

POUM! POUM! POUM!

— Comment allez-
vous, jeune homme?

— Bien! répond
Zachary, l'air pressé.

— Est-ce que je peux
vous servir,

à votre service et
que désirez-vous,
vous voulez quoi ?

— Je veux
la **FAMEUSE**
tondeuse à gazon
rose qui peut aussi
couper les cheveux,
faire mousser
l'eau du bain et

danser la lambada,
répond Zachary
en regardant
nerveusement
derrière lui.

Il est tellement
stressé qu'il a parlé
sans trop réaliser
ce qu'il disait.

Le commis se redresse, l'air déçu, car il croyait faire sa première vente de iPod.

— La section **« jardinage »** est tout au fond du magasin, mon garçon, répond-il

d'un air hautain,
en pointant la section
du bout de son doigt.

Zachary réalise
maintenant ce
qu'il a demandé.

**– NON ! SCUSEZ,
M'SIEUR !** se
reprend-il. Je veux

acheter le nouveau
iPOD X-17.

— J'en ai de **TOUTES** les couleurs. **QUELLE COULEUR VEUX-TU POUR TON iPOD?**

— EUH! Je ne sais pas trop, euh...

je vais prendre
un iPod rouge.

— Je n'en ai pas !

Zachary s'étonne
de la réponse du
commis.

— Mais... quelle
couleur avez-vous,
alors ?

— Je t'ai dit que j'en avais de **TOUTES** les couleurs, mon garçon. **QUELLE COULEUR VEUX-TU POUR TON iPOD ?**

— BLEU!

— Je n'ai pas de iPod bleus! **DÉSOLÉ!**

Zachary commence vraiment à s'impatienter.

— MAIS, QUELLES SONT LES COULEURS DISPONIBLES, DANS CE CAS?
demande-t-il encore.

— Je t'ai dit que j'en
avais de **TOUTES**
les couleurs,
mon garçon, répète
encore une fois
le commis, l'air sérieux.

Dans sa tête,
Zachary sait très
bien que le magasin
n'offre pas

TOUTES les couleurs de iPod, puisqu'il n'y en a pas de rouges ni de bleus. Soudain, tout autour du jeune garçon et devant le comptoir, **un attroupement de personnes surexcitées** apparaît, comme surgissant de nulle part.

– JE VEUX MON iPOD X-17!

s'écrie une femme,
les cheveux
en broussaille.

Elle est la deuxième
arrivée après
Zachary.

– DONNEZ-MOI VITE MON IPOD !

se met à hurler
un adolescent au
visage couvert
de sueur, une liasse
de billets dans
sa main tendue vers
le commis.

—DONNEZ-MOI MON iPOD TOUT DE SUITE ! ordonne un vieillard. SINON, JE FAIS DANS MA COUCHE !

La situation s'aggrave très vite autour de Zachary, qui, poussé par

la cohue, se retrouve
presque écrasé
sur le devant
du comptoir.

**— JE VAIS
PRENDRE
LE iPOD NOIR!**
hurle-t-il finalement
par-dessus tout
le monde.

Voyant l'état des choses, le commis se penche, se relève...
ET DÉPOSE UNE BOÎTE NOIRE DEVANT ZACHARY.

—Ça fait cent vingt-huit dollars ! lui lance-t-il, nerveux.

En moins de deux, Zachary vide

ses poches sur le comptoir. Devant le visage ahuri du commis se dresse une montagne de pièces de monnaie.

— IL Y EN A PLUS QU'IL N'EN FAUT ! dit Zachary en ramassant la précieuse boîte.

Le jeune garçon file
en direction de
la sortie du magasin,
à quatre pattes,
en passant entre
les jambes des
acheteurs **fous**...
Sans attendre
sa monnaie.

Chapitre 5

ZIIIN!

ZIIIN! ZIIIN!

ZIIIN! ZIIIN!

ZIIIN!

À l'intérieur de **TOUS**

les nouveaux iPod, même dans celui de Zachary, une alerte vient d'être lancée. **TOUS** les émo-j se préparent...

ZIIIN ! ZIIIN ! ZIIIN !

Dans une grande
salle de réunion,
les émo-j sont réunis
et attendent en
bondissant sur place,
comme des ballons.

BOING ! BOING !
BOING !

Ils ont très hâte
de savoir quel émo-j

a demandé cette
rencontre urgente.
Si c'est l'émo-j
Joyeux, une bonne
nouvelle leur
sera dévoilée.
Si, cependant,
il s'agit de Chialeur,
le spécialiste
des MAUVAISES
NOUVELLES, eh bien,

ils apprendront
une mauvaise nouvelle.

Voilà qu'une boule
jaune s'amène
ENFIN sur
la scène. Dans
la salle, un
grand silence
s'installe. C'EST
CHIALEUR !

La mine de Chialeur
est longue.
Les émo-j n'ont
jamais vu leur ami
dans cet état.
Il n'y a pas de
doute, il s'apprête
à leur apprendre
une nouvelle très
GRAVE.

—Bonjour à tous! fait-il de sa voix grave de gravité. Nous avons reçu un texto de service de **Banana Corporation.** Le voici.

Sur un grand écran apparaît ledit texto, que tous les émo-j peuvent maintenant lire.

ATTENTION À
TOUS LES ÉMO-J!
Le nouveau
iPOD X-17 a
un GRAVE défaut
de fabrication.
UN BOGUE!
Le bouton jaune
sur le côté

de l'appareil, qui,
normalement,
devait servir à
insérer des émo-j
à la fin des textos,
risque de vous
téléporter dans
le monde
des humains
si quelqu'un
appuie dessus.

Pour régler
ce problème,
les détenteurs
de iPod doivent
télécharger
le fichier ANTI-
BOGUE. Il est
recommandé à
TOUS les émo-j
de demeurer
ensemble.

Les émo-j qui se
retrouveront seuls
risqueront d'être
aspirés dans
le monde
des humains.
Cette directive
s'applique dès
maintenant et sera
en vigueur jusqu'à
notre prochain
texto de service.

Dans la salle,
les émo-j arborent
une mine déconfite.
Sourire ne sourit
plus, Surprise
n'est plus surpris,
Heureux n'est plus
content, Clin d'œil
a les deux yeux
grands ouverts,
Bécot n'a le goût

d'embrasser personne, Colère n'est plus choqué, Grimace a caché sa langue, et cetera, et cetera.

Pupu se tourne vers son amie Rosie.

— Mais Rosie, dit
l'émo-j. Est-ce
qu'il faut absolument
rester ici tous
ensemble dans
cette salle ?

Rosie fait rouler
son corps rond vers
l'avant, et ensuite
vers l'arrière,

pour répondre
« oui » à son ami.

— C'est parce que
moi, tu sais, je dois
aller tu sais où...

— AH NON, PUPU !
s'exclame son amie,
qui s'impatiente.

Tu ne peux pas te retenir un peu, là ?

Pupu se dandine de gauche à droite.

– NON !

Rosie lève les yeux au plafond en signe de découragement.

— DÉPÊCHE-TOI ! Et reviens vite.

Tu as lu comme moi le texto de Banana Corporation. C'est TRÈS dangereux pour un émo-j de se retrouver seul, car il pourrait être téléporté dans le monde des humains.

ALLEZ !
GROUILLE-TOI,
ET REVIENS
NOUS TROUVER
AU PLUS VITE !

Chapitre 6

HÉ OUI!
Les petites bibittes
PEUVENT
manger
les grosses!

Arrivé chez lui,
Zachary ouvre
la porte et arrive
FACE À FACE avec
la **pire-chose-qui-
lui-soit-arrivée-
dans-la-vie** :
SA SŒUR MAÏKA !

Cette dernière
aperçoit la boîte noire...

OUPS!

Elle se place devant son petit frère pour l'arrêter.

— C'est QUOI, cette boîte ? lui demande-t-elle d'un air curieux. Tu es allé acheter

quelque chose
au **Dolloragaga** ?
Tu as cassé
ton petit cochon ?
Je le sais, car
j'ai vu les morceaux
dans la poubelle
de la salle de bain.
J'ai sursauté
de peur en voyant
le visage **ridicule**

de ta tout aussi **ridicule** tirelire de bébé qui gisait dans la poubelle.

—Le cochon a probablement eu PLUS PEUR que toi en voyant ton visage, murmure Zachary, l'air de rien.

– QU'EST-CE QUE TU AS DIT ?

Maïka, en colère,
qui a bien entendu
le commentaire
de son frère, tente
de s'emparer de
la boîte. Zachary
la place juste à
temps dans son dos.

—HÉ! TOUCHE PAS!

– C'EST QUOI ?

Tu me le dis ; sinon,
je vais dévoiler
ton petit secret
à maman.

« OH NON! songe
le garçon avec
crainte. Si maman

apprend que je me
suis acheté un iPod,
elle va me punir.
Elle déteste **TOUS**
ces appareils
électroniques qui,
selon elle, nuisent
à l'esprit de famille.
Si elle découvre ça,
elle va m'enfermer
dans ma chambre
pendant des années.

Je ne sortirai
que lorsque je
serai un adulte
avec une barbe
et des vêtements
TROP PETITS.»

— JE SAIS ! s'écrie-
t-il à voix haute.

— TU SAIS QUOI ? lui
demande sa sœur.

159

— EUH... je sais,
je sais, bafouille
Zachary, que je ne
peux pas te le dire, car
tu vas avoir **TROP**
peur. Les petites bibittes
peuvent manger
les GROSSES, tu sais !

Maïka dévisage
son frère
d'un air défiant.

— Je n'ai peur
de rien, tu sauras.
C'EST QUOI ?

— Je me suis
acheté une souris
à l'animalerie
Animopoilus !
C'est pour un travail
à l'école.

– AAAAH !

s'écrie Maïka

en reculant.

UNE SOURIS !

J'AI PEUR

DES SOURIS !

CE SONT LES PIRES

BÊTES DE TOUTE

LA TERRE. JE SUIS

CERTAINE QUE

CE SONT ELLES
QUI ONT DÉVORÉ
LES DINOSAURES.
CES GRANDS
LÉZARDS NE SONT
PAS DISPARUS À
LA SUITE
DE LA CHUTE
D'UN MÉTÉORITE,
VOYONS! EN PLUS,
LES SOURIS ONT

TOUT PLEIN DE
POILS BLANCS,
COMME CEUX
SUR LE VISAGE
DE PAPI !

Elle s'enfuit en
courant. Direction :
la cuisine.

Le sourire aux
lèvres, Zachary
la regarde s'éloigner.

—UNE SOURIS !

se répète-t-il en
se dirigeant vers
sa chambre.
Il va falloir que
je me rappelle ça, la
prochaine fois que

ma sœur me tombera
sur les nerfs.

Chapitre 7

C'est quoi, ce nouveau bouton jaune là? OH! OH!

**Seul dans
sa chambre**,
la porte verrouillée,
Zachary ouvre
la boîte de son tout
nouveau iPod.
Il s'émerveille devant
le petit appareil,
qu'il aperçoit
dans son emballage
protecteur.

Dans ses mains,
il tourne son nouveau
jouet de tous
les côtés pour
l'admirer.

- COOL !

se dit-il, heureux
de sa dernière
acquisition. Je vais
ENFIN pouvoir

texter **TOUS**
mes amis.

Émerveillé, il appuie sur le bouton de mise en marche. Une douce musique se fait entendre, et l'écran d'accueil apparaît.

– **WOW !**
fait-il, impressionné.

Il est **PLUS** beau que ceux de ses amis. **EN PLUS**, il est plus grand, il est plus rapide, et... **TIENS DONC!** En plus, il a un **BOUTON JAUNE** que les autres iPod ne possèdent pas.

OH! OH!

Sans hésiter,
il appuie sur
le bouton.

ZUT !

Dans les toilettes
de la grande salle
de réunion des émo-j

de Textoville, Pupu
se regarde dans
le miroir avant d'aller
rejoindre ses amis
émo-j.

– **PFOU !**
fait-il, alors qu'il se
contemple dans
la glace réfléchissante.
Je suis tellement

beau! lance-t-il,
un peu prétentieux.
Et puis, c'est quoi,
cette FOLIE d'être
transporté dans
le monde des humains?
C'est impossible, ça!
Rosie s'inquiète pour
absolument rien!

Mais tout à coup,
il commence à voir

le mur derrière
son reflet dans
le miroir... **PUPU
EST EN TRAIN
DE DEVENIR
TRANSPARENT !**

–MAIS QU'EST-CE
QUI SE PASSE ?

se demande-t-il,
en état de panique.

L'émo-j devient à son grand étonnement de plus en plus translucide. Le regard affolé, il se voit dans le miroir...

DISPARAÎTRE COMPLÈTEMENT !

ZVOUUUUUUCH !

✳ ✳ ✳

Une odeur **TRÈS**
désagréable envahit
soudainement
la chambre
de Zachary.

« Mais qu'est-ce
que ça sent ici ?
se demande-t-il en
pinçant son nez.
Est-ce que je n'aurais

pas oublié un vieux
sac à lunch dans
mon sac d'école,
par hasard ? »
pense-t-il alors
qu'il cherche à
comprendre d'où
vient l'odeur.

Tout à coup, un nuage
et des éclairs
apparaissent dans

sa chambre, devant lui. On dirait presque un mini-orage.

Sous ses yeux hébétés, Zachary voit apparaître juste devant lui un vrai et bien réel... ÉMO-J CROTTE !

HEIN?

Chapitre 8

Il est TRÈS difficile de se présenter à un mini-humain lorsqu'il est presque tombé dans les pommes en vous voyant...

Les yeux ronds

comme des pièces de deux dollars, Zachary dévisage l'émo-j qui se tient devant lui. L'émo-j semble tout aussi abasourdi de se trouver face au jeune garçon.

Toujours immobile,
Pupu bouge
seulement les yeux
de gauche à droite
pour regarder
autour de lui.
Le jeune garçon
échappe alors
son iPod sur
le tapis et tombe à
la renverse sur le lit.

— AAAAAAAH !

s'écrie-t-il, apeuré.

À la cuisine, la mère
de Zachary s'affaire
à préparer le souper.
Son mari et sa fille
Maïka l'observent,
assis à la table.
Ils sursautent
tous les trois

en entendant
le cri de frayeur
de Zachary. Maintenant
immobiles, ils écoutent
attentivement.

— OH NOOOOOON !
IL BOUGE, EN PLUS !
reprend Zachary
de plus belle. IL Y
A UN ÉMO-J

CROTTE PUANTE DANS MA CHAMBRE ! C'EST UN CAUCHEMAR !

— Mais qu'est-ce qui se passe là-haut ? se demande tout

haut la mère
du garçon.

— Je vais aller voir !
lui dit son mari en
se levant de table.

Aussi effrayé que
le garçon, Pupu
recule pour s'adosser
contre le mur.

— Mais où suis-je ?
demande l'émo-j.

OH NOOON !

ajoute-t-il tout à coup.
J'ai été téléporté,
et me voici face
à... un **MINI-HUMAIN !**

— AAAAAAAH !

s'écrie encore

Zachary. **IL PARLE, EN PLUS!**

Pupu tente de calmer son hôte.

– N'AIE AUCUNE CRAINTE, MINI-HUMAIN! Je ne te ferai aucun mal. J'ai été téléporté ici dans

ta chambre à cause
du bogue de ton iPod.

Pendant que
Pupu poursuit
ses explications,
le père de Zachary
arrive d'un pas
décidé devant
la porte de son fils.

Il frappe...

TOC! TOC!
TOC!

– ZACH! Tu fais quoi, là-dedans ? demande-t-il.
De l'autre côté de la porte, Zachary **panique.**

– OH NOOON !

C'est mon père.

— Ton père ?

répète Pupu, qui ne comprend pas. C'est quoi, ça, un « père » ?

— C'est un **GRAND HUMAIN!** lui répond Zachary. C'est lui qui m'a fabriqué, avec ma mère.

— **HEIN ?** fait

Pupu, qui ne comprend pas plus.

— Si le grand humain s'aperçoit que je me suis acheté un iPod, précise Zachary, je vais être enfermé dans ma chambre pour le reste de ma vie. Et ça, c'est très long !

Pupu regarde Zachary d'un air étonné.

— MAIS QU'EST-CE QUI SE PASSE, ZACH ? l'interroge son père, l'oreille collée à la porte. **TU N'ES PAS SEUL DANS TA CHAMBRE ?**

— OUI ! OUI !

lui répond son fils,
terriblement agité.
JE SUIS TOUT
SIMPLEMENT
EN TRAIN
DE RÉPÉTER
MON TEXTE
POUR LA PIÈCE
DE THÉÂTRE
DE L'ÉCOLE.

De l'autre côté de la porte, son père écoute encore.

— ÔÔÔ TOI, CRUEL DRAGON ! déclame Zachary d'une voix théâtrale, en improvisant n'importe quoi. CESSE D'IMPORTUNER

LA PRINCESSE
BLONDINETTE ;
SINON, JE VAIS
TE TAPER
LES FOUFOUNES
AVEC MON ÉPÉE !
AH ! AAAAH !

— Tu fais tes devoirs
et tes leçons ?
enchaîne son père.

C'est **TRÈS** bien,
cela...

Rassuré, il redescend
enfin les marches
et retourne dans
la salle à manger.

Chapitre 9

J'ai tout simplement appuyé sur ce bouton jaune là... NOOOON!

À l'intérieur du iPod de

Zachary, Rosie, nerveuse, fait **les cent bonds** dans la grande salle de réunion des émo-j. Elle s'inquiète pour son ami Pupu, qui n'est pas encore revenu. Pipirate

et Vampapire
s'approchent d'elle.

— Qu'est-ce qui se
passe, Rosie ?
lui demande Pipirate.
Pourquoi bondis-tu
de long en large
comme ça ?

— Il y a des tonnes
de minutes que

Pupu est parti aux toilettes ! lui répond la petite émo-j, le regard inquiet. J'ai bien peur qu'il ait été téléporté dans le monde des humains.

Pipirate et Vampapire se jettent des regards angoissés.

– NE BOUGE PAS, ROSIE !

répond Vampapire,
qui tente de rassurer
son amie. Pipirate et
moi allons vérifier
à la salle de bain
s'il est encore là.

Rosie lance
un sourire timide
aux deux émo-j.

— ALLEZ ! ordonne
Vampapire à son ami
Pipirate. ALLONS-Y !

❋ ❋ ❋

Dans la chambre de
Zachary...

— Tu dois retourner
dans mon iPod.
Mais, comment
allons-nous faire ?
demande Zachary

à Pupu. Tu ne peux pas rester ici.

— Je ne sais pas comment faire, mini-humain.

— Mon nom est Zachary, pas **« mini-humain »**. Et toi, comment tu t'appelles ?

— Pupu ! répond
l'émo-j. Dis-moi,
mini-humain,
comment as-tu fait
pour me téléporter
dans ta chambre ?

Zachary ramasse
aussitôt son iPod
et s'empresse
d'appuyer sur

le bouton jaune
pour faire
une démonstration
à Pupu.

NOOON !

Encore une fois,
un mini-orage
traversé d'éclairs
se produit dans
la chambre,

et deux autres
émo-j apparaissent...
**VAMPAPIRE
ET PIPIRATE!**

– NOOON!
Tu n'aurais pas dû
faire ça! gronde
Pupu, les deux yeux
bien fermés.

Pipirate et
Vampapire sont
tout aussi étonnés
de se retrouver
dans le monde
des humains.
Pupu les rassure.

**–NE VOUS EN
FAITES PAS,
LES GARS!** Tout va

bien aller! Nous
allons trouver
une façon de
retourner dans
le iPod, commence-
t-il. Je vous
présente mini-humain.
Mini-humain,
voici Pipirate
et Vampapire.

Zachary baisse
la tête pour saluer
ses deux derniers
invités, **QUI N'ONT
PAS VRAIMENT
ÉTÉ INVITÉS.**

— J'espère que
Banana Corporation
nous donnera
rapidement de
nouvelles instructions,

dit Pupu. En attendant, pour éviter que tu téléportes d'autres émo-j, tu vas **IMMÉDIATEMENT** télécharger le fichier ANTI-BOGUE.

— D'ACCORD! acquiesce Zachary.

Chapitre 10

QUI DOMINE les DOMINOS?

Dans sa chambre

avec ses trois nouveaux amis, Zachary entend soudain sa mère qui l'appelle.

—SOUUUUUUPER!

Pupu, Pipirate et Vampapire

se jettent
mutuellement
des regards
d'incompréhension.
Zachary remarque
leur air hébété.

 **!**

Vous ne mangez
jamais, vous ?

—NOOOON !

lâche Pupu, l'air
dégoûté. Nous
sommes des émo-j.

Zachary s'en étonne.

—Bon ! Mais moi,
ce n'est pas
la même chose.
Je dois manger.
Et j'ai faim, en plus.

—Et on fait quoi,
nous, en attendant ?
demande Pipirate.

—Ben justement,
vous attendez que
je revienne, lui
répond Zachary
en posant la main
sur la poignée de
la porte. Il y a un jeu

de dominos sur
ma commode.
Amusez-vous
en silence !

—Où sont les manettes
de ce jeu de dominos ?
lui demande Vampapire.

**—IL N'Y EN A PAS,
VOYONS!** Ça se joue

avec les petites pièces en bois.

Les trois émo-j se lancent des regards de dégoût.

— **ARK !** fait Pupu. Un jeu qui date de la préhistoire !

Dans la grande
salle de réunion
des émo-j,
Rosie cherche
frénétiquement
du regard Coucou,
l'émo-j horloge, qui
a la responsabilité
d'afficher l'heure
qu'il est. Elle l'aperçoit
tout au fond

de la salle ; il discute avec un collègue, l'émo-j Sablier, histoire de passer le temps...

Rosie arrive près des deux émo-j en état de **panique**.

– QUELLE HEURE EST-IL?

crie-t-elle.

Tous les émo-j autour d'elle l'ont entendue et cessent de parler.

— Que se passe-t-il, Rosie ? demande

Coucou, qui cherche
à comprendre.

Rosie aperçoit
les aiguilles sur
la bedaine de Coucou.

– OH NOOOON !
hurle-t-elle,
le visage crispé
par l'inquiétude.

ÇA FAIT PLUS
DE TRENTE
MINUTES
QU'ILS SONT
PARTIS! ILS
SE SONT FAIT
TÉLÉPORTER
DANS LE MONDE
DES HUMAINS,
C'EST CERTAIN!

Coucou arbore
un air des plus
GRAVES.

— Qui s'est fait
téléporter, Rosie ?

— Pupu, Pipirate
et Vampapire !
lui répond-elle,
la babine inférieure
tremblotante.

Autour de Rosie, TOUS les émo-j se rassemblent.

— IL FAUT ALLER LES CHERCHER ! propose Indiana Jaune, l'émo-j aventurier.

— MAIS TU ES FOU ! s'exclame

Pessimisme, l'émo-j à l'attitude négative.

— Pessimisme a raison, pour une fois ! dit Rosie tout haut. Nous ne pouvons pas RISQUER qu'un autre émo-j se fasse téléporter dans le monde des humains.

237

Pupu, Pipirate et
Vampapire sont
nos émo-j les plus
REDOUTABLES.
Ils sauront trouver
une façon de revenir
ici, à l'intérieur du iPod;
j'en suis certaine.

Mais autour
de Rosie, ce ne sont

pas **TOUS** les émo-j
qui partagent
sa confiance.
Malheureusement,
il y a **TRÈS** peu de
chances que les trois
émo-j reviennent.

SNIFF ! SNIFF !

Après avoir vidé son assiette à toute vapeur, Zachary retourne *TRÈS VITE* dans sa chambre pour y retrouver... **PERSONNE !** Ou plutôt, aucun émo-j...

— Mais où sont-ils passés ? se demande-

t-il en refermant
rapidement la porte.
Au beau milieu
de sa chambre,
il aperçoit soudain
une très haute
colonne de dominos.
Au sommet, en
équilibre précaire,
les trois émo-j
sont perchés et

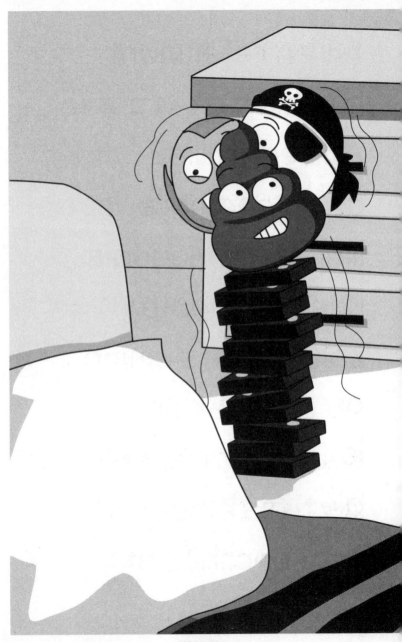

se tiennent pour
ne pas tomber.

— Mais qu'est-ce
que vous faites
là-haut ? demande
Zachary. Si vous
chutez sur
le plancher, ça va
alerter mes parents,
qui viendront voir

ce que je magouille,
et nous risquons de
nous faire prendre !
**DESCENDEZ
TOUT DE SUITE !**

À peine a-t-il
terminé sa phrase
que la colonne
de dominos se
met à vaciller

dangereusement.
ILS VONT TOMBER!

– AAAAAAAAAH !
s'écrie Pupu.

– OOOOOOH !
se met à hurler Pipirate.

– Hiiiiiiiiiiiiiii !
se plaint Vampapire
à son tour.

Pour éviter que
les trois émo-j
se retrouvent sur
le plancher dans
un vacarme qui
alerterait tout le
monde, Zachary
se place sous eux.
Lorsque, finalement,
ils tombent, le jeune
garçon parvient

à les attraper, et
tous atterrissent
en douceur sur le lit
douillet.

POUF ! POUF !

POUF ! POUF !

OUUUUF !

Cependant, la porte
de la chambre

de Zachary s'ouvre quant à elle... AVEC FRACAS!

BANG !

OH! OH! C'est Maïka.

— MAIS QU'EST-CE QUE

TU FABRIQUES ? TU PARLES À QUI, LÀ ?

La sœur de Zachary remarque tout à coup les trois émo-j dans les bras de son frère.

OUPS !

Chapitre 11

Tout LE MONDE dans le tiroir!

Pris sur le fait
pour n'avoir rien fait,
Zachary ne sait pas
quoi répondre à
sa sœur.

L'air sévère, Maïka
met ses deux poings
sur ses hanches.

— En plus
d'une horrible souris,

tu t'es acheté
des coussins émo-j?
demande-t-elle.
Ce n'est pas possible,
on dirait que tu es
encore un bébé.
Tu t'es acheté
une suce, aussi?

**GA! GA!
GOU! GOU!**

Zachary regarde
ensuite à côté
de lui et remarque
que Pupu, Pipirate
et Vampapire sont
**TOTALEMENT
IMMOBILES!**
Leurs yeux sont
complètement fixes
et semblent regarder
dans le vide. Ils ont

tous compris qu'ils devaient passer inaperçus.

«OUF! songe le garçon. Maïka croit que ces émo-j ne sont en fait **que des toutous.»**

– OUAIS !

répond Zachary à sa sœur en cajolant Pupu. Ce dernier est très mal à l'aise et se retient de repousser Zachary.

—Tu en veux un ? lui propose-t-il ensuite en lui tendant Pupu.

Maïka s'enflamme...

– **TU ES FOU !**
Je ne veux pas
de ta bébelle de bébé
qui pue.

Puis, elle tourne
les talons et referme
la porte en partant.

OUF !

— BIEN JOUÉ, LES AMIS ! lance Zachary pour les féliciter. Maintenant, dodo ! J'ai de l'école demain, moi.

— De l'école ? répète Pupu.

— **OUI!** lui répond Zachary. Et vous allez tous les trois m'accompagner.
Il n'est pas question que je vous laisse ici tout seuls... **NON!**

À court d'excuses qui pourraient les dispenser de cette sortie forcée, les trois émo-j ne peuvent qu'accepter.

– ALLEZ ! Ouvrez chacun un tiroir de ma commode et installez-vous.

Pupu ne comprend pas pourquoi il doit faire cela.

— Mais pour que
vous puissiez dormir,
VOYONS!
Ces tiroirs seront
vos lits pour la nuit.

RRRRON!
RRRRRON!
RRRRON!

Chapitre 12

Sortir de la maison et entrer dans l'autobus scolaire pour aller à l'école n'a JAMAIS été aussi compliqué...

Juste avant
de quitter

sa chambre pour
se rendre à l'école,
Zachary revoit son
plan INFAILLIBLE
avec les trois émo-j.
Pupu se cachera
dans le grand
sac à dos, tandis
que Pipirate et

Vampapire seront transportés dans deux sacs-poubelle.

MÉCHANT PLAN !!!

— BON ! Alors voilà, les amis, leur répète Zachary.

Vous ne parlerez pas tant que je ne serai pas arrivé à l'école. Une fois là-bas, vous vous cacherez dans des cases qui n'appartiennent à aucun élève. Vous y serez en sécurité.

Vous resterez
là jusqu'à ce que
nous ayons
des instructions
pour vous ramener
à l'intérieur de
mon iPod. Je vais
envoyer un texto
au service à
la clientèle de
Banana Corporation.

Bonjour !

J'ai acheté hier votre TOUT nouveau iPod et j'étais très content. Malheureusement, j'ai par erreur appuyé trois fois

sur le bouton jaune
et maintenant,
je ne suis plus
content. En effet,
trois émo-j sont
apparus dans
ma chambre,
qui, eux non plus,
ne sont pas
contents. J'attends
vos instructions

pour les renvoyer
d'où ils viennent.
Merci !

Zachary, client
pas content, mais
content de vous
connaître.

BANANA CORPORATION

Message reçu !
Vous devriez avoir
une réponse de notre
service technique
dans quelques
heures. Passez
une belle journée,
même si vous n'êtes
pas content.

274

— J'ai une petite question, dit Pupu. Si ta sœur nous apostrophe encore, que vas-tu faire ?

Sa voix résonne dans le sac à dos, comme s'il se trouvait au fond d'une grotte.

—Ne vous en faites pas, les amis, je sais ce que je vais lui dire. J'ai pensé à tout cette nuit. **À TOUT! TOUT! TOUT!**
Je vais lui en boucher un coin, vous allez voir. Elle en sera bouche bée. Je vais lui déballer tout ça

et elle n'aura même pas le temps de placer **un seul mot.**

Zachary ouvre la porte de sa chambre, soulève les deux sacs à ordures et sort de la pièce. Sur le palier, il arrive nez à nez avec sa redoutable sœur.

— Mais qu'est-ce que **TU FAIS AVEC ces deux sacs ?** lance-t-elle avant même que Zachary puisse ouvrir la bouche.

Le jeune garçon regarde sa sœur, **incapable** de prononcer un seul mot.

« Alors là, bravo pour le plan infaillible, hein ! » se dit Pupu.

— Ce sont des sacs à ordures que je dois apporter à l'école pour les étudier ! finit par répondre Zachary.

Sa réponse est toutefois bien **ridicule.**

– ÉTUDIER DES ORDURES ?! répète Maïka, offusquée. Tu me prends pour une nouille ? Montre-moi ce qu'il y a dans

ces sacs ; sinon,
j'appelle papa
en criant.

— Tu es certaine
de vouloir le savoir ?
lui demande son frère.
Tu pourrais être
VRAIMENT effrayée.

— Je t'ai déjà dit que
je n'avais peur **DE**

RIEN! C'EST QUOI?

De toute évidence, Maïka a déjà oublié qu'elle avait très peur des...
BÊTES-LES-PLUS - TERRIFIANTES- DE-TOUTE-LA-TERRE- APRÈS-LES- DINOSAURES :
les souris...

Contre son gré, Zachary dépose les deux sacs en plastique... **ET LES OUVRE!**

Devant Maïka... **PIPIRATE ET VAMPAPIRE BONDISSENT DE LEUR CACHETTE**

COMME DEUX DIABLES EN BOÎTE!

—Est-ce que
tu permets que
je goutte un peu
de ton sang ?
demande Vampapire
à Maïka, tout à coup
blême d'effroi.

Pris d'une soudaine
soif, l'émo-j vampire
se pourlèche
les lèvres et montre
ses deux crocs.

— **Tu aimerais faire
un petit voyage sur
mon navire ?** lance
ensuite Pipirate
d'une voix dure
qui fait trembler.

VIENS, MAÏKA !
J'ai quelques
amis requins qui
aimeraient bien te...
CROQUER !

Complètement
affolée, Maïka
rebrousse chemin
en gesticulant,
les deux bras en l'air,
jusqu'à sa chambre.

Zachary sourit
aux deux émo-j.

— Dites-moi que
ce n'était que
des **blagues**, hein ?
fait le jeune garçon.
Vous n'alliez pas
sérieusement boire
le sang de ma sœur
et la jeter
aux requins ?

En guise de réponse, Zachary n'obtient que des **rires diaboliques** de ses deux amis.

HI! HI! HI! HI! HI!

OH! OH!

Ces deux émo-j sont peut-être **MOINS**

gentils que le jeune
garçon ne le pensait.

Après que Pipirate
et Vampapire sont
retournés dans
leur sac respectif,
Zachary entreprend
de descendre
l'escalier jusqu'à
la porte d'entrée.
En bas, il se colle

le dos au mur pour
ne pas être vu par
son père, qui boit
son café et lit
son journal.

LA VOIE EST LIBRE !

IL FONCE !

Dehors, le regard
froid et dur, Miguel,

le chauffeur
d'autobus, l'arrête
alors qu'il monte
dans le grand
véhicule.

– WÔ, LÀ!
Pépito Zacharino!
Je ne suis pas
un chauffeur
de camion à ordures.

Tu ne peux pas
monter avec
ces deux sacs, amigo.

— C'est pour
un travail, répond
Zachary, qui tente
de se justifier.
Pour la classe
de madame Jasmine.

Miguel se met soudain à sourire sur son siège.

– AAAAAH ! fait-il après avoir entendu le nom de Jasmine. Si c'est pour madame Jasmine, tu peux entrer, alors.

Zachary monte dans l'autobus et s'assoit avec ses trois curieux paquets.

C'est une **chance** qu'il ait eu la rapidité d'esprit de dire que les sacs étaient pour madame Jasmine. Miguel a comme

des sentiments pour
la jolie enseignante.
C'est sans doute
parce qu'il la trouve
plus jolie que
son autobus jaune.

UNE AUTRE ÉTAPE DE FRANCHIE !

Cependant, Zachary sait très bien que le **PIRE** reste à venir et que la partie est loin d'être terminée... et gagnée.

Chapitre 13

Pour passer
inaperçu dans
la cour de l'école,
il faut avoir l'air
de rien... Pour
le pauvre Zachary,
ça veut tout
simplement dire...
RESTER NATUREL !
Impossible...

Dans l'autobus qui conduit

Zachary à l'école, tous les élèves ont le regard braqué sur le pauvre garçon. Ils l'ont tous entendu lorsqu'il a répondu à Miguel, le chauffeur, que c'était madame

Jasmine qui lui avait demandé d'apporter ces deux sacs.

Ils savent que c'est faux, car plusieurs de ces élèves **SONT** dans la classe de cette enseignante. Ils sont certains que Zachary cache quelque chose...

MAIS QUOI ?

Assis tout seul sur
un banc, le garçon
se met à penser à
la réaction que
sa sœur a eue
lorsqu'elle a aperçu
Pipirate et Vampapire.
Il lui vient soudain
une idée GÉNIALE !

Au même moment, Vampapire sort légèrement la tête pour lui parler.

—Qu'est-ce qu'il y a, Zachary ? murmure l'émo-j. Tu souris comme si tu venais d'avoir UNE IDÉE.

–Chut ! fait-il en poussant Vampapire au fond de son sac. Lorsque nous arriverons dans la cour, je vous parlerai du trio terreur de l'école. **Chuuuut !**

Lorsque l'autobus s'arrête devant

l'école, Zachary, tout sourire, se lève en premier et se **PRÉCIPITE** vers la sortie avec ses sacs. Derrière lui, les autres élèves suivent sa trace, mais n'arrivent pas à le rattraper.

— Mais où il est passé ?
demande Alice.

— **AUCUNE IDÉE!**
lui répond Mégane.
Zachary a disparu
comme un magicien.

— Il faut à tout prix
le retrouver pour savoir
ce qu'il prépare !
décrète Adam.

Mais alors que la
bande d'élèves du
bus s'apprête à
se lancer à
sa poursuite...

ZIOUUUUUU !

ZIOUUUUUU !

ZIOUUUUUU !

ZIOUUUUUU !

Plusieurs sonneries annonçant l'arrivée de textos se font entendre.

— **TROP TARD, LA GANG!** dit Vincent. Je viens de recevoir un texto de Cédric.

— **MOI AUSSI**, j'en ai reçu un! s'exclame ensuite Arnaud.

— **Moi aussi!**

— **Moi aussi!**

La quête du groupe pour retrouver Zachary vient de prendre une tout autre tournure...

C'EST L'HEURE DES TEXTOS !

CÉDRIC

T'es où, Vincent, mon chummy ? Est-ce que tu as vu sur YouTube la vidéo du chien qui mange un petit arbre au complet et qui vomit une chaise ? VA VOIR ÇA!

ÉLODIE

Arnaud! Tu réponds «OUI» ou tu réponds «NON» au texto d'Élisabeth ?

Tu veux être son chum, oui ou non ? 😐 Elle attend toujours ta réponse avant de le demander à Jacob.

CORALIE

Yo, Victoria ! Est-ce que tu veux

échanger ton lunch avec moi aujourd'hui ? Moi, j'ai un reste de pâté chinois à la sardine et aux jujubes. TOI ?

THOMAS

HÉ ! Flavie. Tu peux me prêter

ton masque
d'Halloween ?
Je voudrais passer
de porte en porte
pour ramasser des
bonbons et des sous.
Je sais que nous ne
sommes qu'au mois
de mars, mais à la
résidence Vivelemou,
ils ne savent pas ça,
eux.

LIAM

Alors, Zoé! Vas-tu marier la patate? Vu que ton parfum sent le fromage, vous formeriez une très belle poutine, tous les deux, non?

Toujours entourée
de ses amies,
Zoé entre dans
une **vive colère**.

— Qu'est-ce qui
se passe, Zo ?
lui demande Léa.
C'est encore cet
abruti de Liam qui
t'envoie des textos
stupides ?

—OUI! lui répond Zoé en serrant les dents. J'espère qu'un jour, quelqu'un remettra ce petit imbécile et ses amis à leur place.

—Envoie-lui à nouveau les trois émo-j, lui conseille

Emma. **Pipirate**,
Vampapire et **Pupu !**

Zoé tape les touches
sur son iPod et
presse le bouton
« envoyer ».
ZIOUUUUUU !
De l'autre côté de
la cour de l'école,

Liam reçoit le texto
de Zoé. Ses amis
et lui s'esclaffent
encore une fois.

—OUUUH! OUUUH!
Qu'ils me font peur,
ces trois ridicules
émo-j! C'est fou
comme j'ai peur!
MAMAN!

Liam se moque du texto de Zoé, bien sûr.

À ce moment-là, Alexis, son esclave favori, passe devant lui. Liam l'attrape par le bras.

—HÉ! L'esclave! Tu as fait mon devoir d'hier?

Sans dire un seul
mot, Alexis ouvre
son sac à dos et
remet trois feuilles
à son bourreau. Liam
jette un rapide coup
d'œil à son travail.

– **BON !** Je ne
comprends rien à
ce charabia, avoue

le garçon, mais ça
me semble **TRÈS**
bien fait.

Devant Liam, Alexis
demeure stoïque.

— Tu peux y aller !
lui ordonne ensuite
Liam. On se revoit
après l'école,
je vais **ENCORE**

avoir besoin de
tes services.

Les bras pendants
de chaque côté
du corps, Alexis
s'éloigne pour
rejoindre
ses **VRAIS** amis.

Liam aperçoit tout
à coup Zachary, qui,

comme toujours,
drible tout seul
au milieu du terrain
de basketball.

— HÉ ! Les gars...

Justin et Tommy se
tournent vers lui.

— Allons nous
amuser un peu avec
la patate.

Dernier chapitre

Fini, les folies et tout le reste, SINON...

Entouré de ses deux complices

en méchanceté,
Liam s'approche
de Zachary.
Ce dernier, le dos
tourné au trio
terreur de l'école,
continue de dribler
le ballon sans se
rendre compte

qu'il recevra bientôt
une salve d'insultes.

**PAF! PAF!
PAF!**

– HÉ! LA PATATE!

s'écrie Liam sur
un ton rabaissant.
C'est une autre
splendide journée
qui débute pour toi,

HEIN ? Le **LOSER** numéro un de l'école Çavatrèsmal ? Zachary continue de dribler sans se retourner.

PAF ! PAF ! PAF !

— **HÉ ! LA PATATE !** reprend Liam.

T'ES SOURD ?
JE TE PARLE, LÀ !

— Je crois qu'il vaudrait mieux pour toi, **LIAM-BURGER**, et tes deux parasites, Tommy-ton-doigt-dans-ton-nez et Justin-bécile, que vous ne me cherchiez pas querelle aujourd'hui. C'est juste un petit conseil comme ça. Le visage de Liam, de Tommy et de Justin devient écarlate.

PERSONNE N'A JAMAIS

OSÉ PARLER AUX TROIS GARÇONS SUR CE TON...

Liam fait un pas vers Zachary, qui a toujours le dos tourné au trio terreur et s'amuse avec son ballon.

PAF! PAF! PAF!

— QUOI! QU'EST-CE QUE TU DIS, LA PATATE? RÉPÈTE DONC, POUR VOIR!

— Je te dis que **TOI**, Liam-burger, et

tes deux idiots irez aujourd'hui voir **TOUS** les élèves de l'école pour vous excuser de votre attitude.

Liam n'en revient tout simplement pas de la requête de Zachary. Il jette

des regards étonnés
à Tommy et à Justin.

—Et comment,
demande Liam,
vas-tu nous
forcer à faire ça...
LA PATATE?

Zachary se
retourne vers

les trois méchants
garnements avec,
dans ses mains,
non pas un ballon
de basket, mais...
VAMPAPIRE!

– COMMENT?
répète Vampapire
en se pourléchant
les babines. Grâce

à moi et à
mes deux amis.

Totalement apeurés,
Liam, Tommy et
Justin tentent
de reculer, mais
ils sont rapidement
arrêtés par...
**PUPU ET
PIPIRATE!**

– WÔ ! s'écrie Pipirate, le visage collé contre celui de Tommy. Tu vas où, toi ? On n'a pas fini de discuter, là ! Tu aimerais faire un petit voyage sur mon navire ? lance-t-il ensuite d'une voix à faire trembler de peur les plus braves. J'ai quelques amis requins qui aimeraient bien te...

CROQUER !

– OOOOOOH NON! M'SIEUR L'ÉMO-J BARBE QUELQUE CHOSE...

fait Tommy
d'un ton suppliant.
J'ai le mal de mer
et je suis allergique
aux poissons.

– WÔÔÔÔ !

s'écrie à son tour
Pupu.

Ce dernier barre
la route à Justin.

—ET TOI ? poursuit-
il en menaçant
à son tour le garçon
effrayé. Tu as déjà
visité les égouts
en passant par
les toilettes ?

—NOOOON !
S'IL VOUS PLAÎT,
MONSIEUR CACA !

fait Justin en pleurnichant, le visage grimaçant de frayeur. ÇA SENT TROOOP MAUVAIS LÀ-DEDANS !

Vampapire s'approche de Liam, qui est pris en souricière entre Pupu et Pipirate

et ne peut
s'échapper.

— Et toi, Liam,
enchaîne Vampapire.
Aimerais-tu que
je boive ton sang ?
Je suis un vampire,
tu sais !

Le regard de
Vampapire est

des plus méchants.
Cependant,
l'émo-j ne s'est

JAMAIS

abreuvé du sang
de qui que ce soit.
Ce n'est que pour
effrayer Liam
qu'il joue le jeu
du redoutable
vampire.

—NON, M'SIEUR!
se plaint Liam.
Mon sang, je crois
que j'en ai besoin,
un peu.

— Alors, si tu veux
le conserver, tu vas
écouter cette petite
histoire que nous
allons te raconter.

Les trois émo-j se rassemblent autour de Liam, de Justin et de Tommy...

— C'est une histoire de **respect**, précise Pupu, **d'amitié** et de **camaraderie**.

Liam, Justin et Tommy hochent tous les trois la tête pour répondre **« oui »**...

Ils écoutent la suite... **ATTENTIVEMENT !**

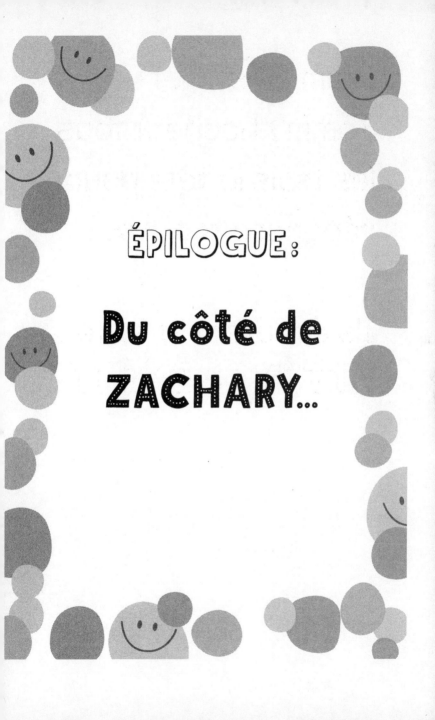

ÉPILOGUE :

Du côté de ZACHARY...

**Dans la cour
de l'école,**
madame Jasmine
et Miguel, le
chauffeur d'autobus,
ont été affectés à
la surveillance.
Ils sont **TRÈS**
surpris de voir que
PERSONNE

n'a apporté son iPod. Les élèves ont laissé leur appareil dans leur case et ils sont **TOUS** en train de jouer dans la cour.

HEIN ?

— Mais qu'est-ce qui se passe ici ?

demande madame
Jasmine à voix
haute.

Miguel hausse
les épaules. Il n'en a
AUCUNE IDÉE !

Sur le terrain de
basketball, Liam
fait équipe avec
Zachary, Zoé, Alexis

et Emma contre Léa,
Tommy, Justin et
Mathilde. Au fond
de sa zone, Zachary
drible le ballon.

PAF! PAF!
PAF!

Il aperçoit Zoé qui
est parvenue à se

dégager de Tommy.
Zachary lui lance
le ballon.

POUF !

Elle l'attrape ! Drible
quelques pas,
s'arrête... **ET FAIT
UNE PASSE
À EMMA !**

Cette dernière saisit le ballon, le fait rebondir **ET LANCE LE BALLON À LIAM !**

Ce dernier l'attrape, déjoue Mathilde et Justin en driblant... **ET LANCE LE BALLON À ALEXIS !**

Le garçon l'attrape,
mais il est très vite
entouré par
Tommy et Emma,
qui ont anticipé
la manœuvre de Liam.

ZUT !

Alexis est très loin
du panier. Il n'a pas
le choix. Il place

le ballon au bout
des doigts de
sa main droite...
ET LE LANCE!
Si le ballon entre
dans le panier... **ÇA**
COMPTERA POUR
TROIS POINTS!

Le ballon décrit
un grand arc très

haut dans le ciel,
tombe sur l'anneau
de métal du panier,
fait plusieurs tours...
**ET TOMBE DANS
LE PANIER!**

L'équipe de Liam
retourne vite dans
sa zone.

— WOW! ALEXIS!

le complimente Liam.
Je ne savais pas
que tu étais bon à
ce point au basket.
Tu seras

TOUJOURS

dans mon équipe,
maintenant.

Alexis lui sourit gentiment.

— Ah oui ! Alexis, fait Liam, un peu mal à l'aise. Tu pourrais venir chez moi ce soir pour m'aider à faire mes devoirs ? Comme tu sais, je ne suis pas très bon et toi, tu es un PRO.

—Ça va me faire
vraiment plaisir
de t'aider, Liam,
lui répond Alexis.

Liam lui sourit
encore...

—COOL! répond-il,
réjoui.

Tu vas vraiment
CAPOTER !

Ma mère fait
les **MEILLEURS**
biscuits aux brisures
de chocolat
au monde.

**— OH! ATTENTION,
LIAM!** lâche Alexis
pour prévenir
son coéquipier.
Tommy et Léa

contre-attaquent
avec le ballon.

– OUPS ! OK !

ÉPILOGUE :

Du côté
des ÉMO-J...

Dans le complexe de
la compagnie
Banana Corporation,
Gill Bates, le patron,
entre dans une vive
colère. OUI !
Car son équipe
n'a pas réussi
à renvoyer dans les
iPod les trois émo-j

téléportés hors
de leur monde.
PIRE ENCORE !
Pupu, Pipirate et
Vampapire ont été
téléportés... **DANS
LE COMPLEXE MÊME
DE LA COMPAGNIE !**

**– VOUS ÊTES TOUS DES
INCAPABLES !**

hurle Gill Bates,
furieux.

Autour de la longue
table de conférence,
il se met à engueuler
TOUS ses techniciens
en informatique.
Pupu, Pipirate et
Vampapire sont
présents eux aussi

et assistent à la
rencontre d'urgence.

– TOI, LA PATATE !
s'écrie ensuite
Gill Bates.

Et il pointe un
employé grassouillet.
Ce dernier croule

sous la honte, et tout
le monde le regarde.

– OUI! TOI,
LA PATATE!
Tu es censé être
le meilleur. Tout
ce que tu as réussi
à faire, c'est de
ramener ces trois
boules horribles

dans mon bureau.

TU ES PLUTÔT LE MEILLEUR POUR FAIRE DES BÉVUES !

Vampapire bondit alors sur la table et se place devant le patron.

— Monsieur Gill Bates, commence l'émo-j. J'ai une petite histoire à vous raconter. Une histoire de **respect**, **d'amitié** et de **camaraderie**...

GLOSSAIRE

Acolytes : complices, compères.

Apostropher : adresser la parole de manière impolie.

Arrogant : méprisant, prétentieux.

Diabolique : digne du diable.

Hautain : prétentieux, supérieur.

Justifier : tenter de prouver son innocence.

Offusqué : choqué, blessé dans son amour-propre.

Pétrifié : immobilisé, figé.

Précaire : instable, fragile.

Requête : demande, exigence.

Stoïque : impassible, sans aucune expression.